멈춰 선 곳에
네가 있었을 뿐

유재영 시집

1부
오늘 밤, 별은 멀지 않다

2부
너도 가끔은 그러느냐, 옛사랑아

3부
잠시 쉬어가도 괜찮을는지요

지나간 것들을 메모해두었습니다. 그리곤 어디에도 내보내지 않은 채 오크통 같은 것에 가둬두었지요. 통 안에 든 것들을 가만 놔두지는 않았습니다. 때때로 흔들어보기도 하고 뚜껑을 살짝 열어서 저 혼자 맛도 좀 보고 더 넣고 싶은 것이 생기면 첨가하기도 하며 몇 년을 묵혀두었습니다. 이제 조금 숙성된 맛과 향이 나는 글이 되었다 싶어, 이렇게 내놓습니다. 입맛에 맞으실는지 모르겠습니다. 맘에 들면 두고두고 다시 볼 책이겠고 시답잖은 것이면 헌책으로 내놓든 버리든 하겠지요. 그래도 제법 애써 만든 술이니 전자이길 바라며 한잔 따라봅니다. 감사합니다.

2022년 늦봄에
유재영

1부
오늘 밤, 별은 멀지 않다

하늘의 별보다
당신이라는 지상의 별이 더 아름답다.

멈춰 선 곳에 네가 있었을 뿐

별 이는 곳에 밤이 있다
바람 부는 곳에 언덕이 있다
마음 머무는 곳에 네가 있다

너는 반짝이다,
선들거리고
나는 일렁이다,
비로소
여기 멈추어 선다.

나는 일렁이다,
비로소
여기 멈추어 선다.

하늘을 보는 법

하늘을 보노라면
누구는 구름을 보고

날아가는 새를
보는 사람이 있는가 하면

개중에는 태양을 보려다
눈을 질끈 감는 사람도 있지

그리고 나는
네 눈동자에 담긴,
하늘 보기를 좋아했었다
하늘 보는 네 눈동자를
보는 일이 좋았다

구름을 보든,
새를 보든,
네가 보는
그 어떤 하늘이든.

나무

울고 싶은 날이 있거든,
날 찾아주라

서러운 맘 들 적에
소리죽여 훌쩍이지 말고
내 품에 안겨,
실컷 울면 된다

너 햇볕에 너무 힘들지 말라고
틔운 가지이고 잎사귀요
너 가끔 맘 트일 곳 주려고
여기 뿌리 내린 나무란다

안온한 위로 받고 싶은 날,
잠시 머물다 가거라
그러다 기꺼운 날 오면
한번 들러 웃어주고 가라

사랑한단다
오늘도 너를.

얽히고설키어서

새벽녘에
상념들이 모여,
군집을 이룬다

이 생각들이 얽히면
그리움이 된다
이 마음들이 얽히면
사랑이 된다

그리고
이 둘이 얽히고설키어
이윽고 네가 된다

무심한 이 새벽,
별들이 소곤거리며 빛을 낸다.

꽃으로

너는 꽃으로 남아주기를
만개하여도 좋고

제 얼굴 감춘,
새침한 봉오리여도 좋다

수줍게 뺨을 붉히며,
품을 젖혀 피는 중이어도 좋다

그러니,
너는 그저
꽃으로 남아주기만 해라.

그러니,
너는 그저
꽃으로 남아주기만 해라.

짝사랑

보상받지 못하는
사랑도 있다

바다와 같은 애정을 품었어도
자신의 바다 아래로
맘을 깊숙이 가라앉혀,
숨을 옥죄어 죽이고 마는
애처로운 사랑

목소리 한번 내지 못하고
하얀 거품으로 흩어지는 것

사랑이 사랑을 죽이는 일이
간혹 있기도 하다.

밤별

사열하듯 늘어선,
별들의 밤

내 발치 앞에도
어깨 한치만큼 낮은 곳에
무리를 벗어난 별이 하나

밤바람은 상냥히 불어,
지상의 별을 끌어안고

별의 향기를 품은
밤바람의 일렁임에
맘이 선들거린다

오늘 밤,
별은 멀지 않다.

접어둔 글귀

네가 접어두었던,
글귀들을 읽어본다

너는 네가 좋아하는 것을
나도 좋아해 주길 바랐던 모양이다
아마도 그런 마음으로
책 잎 끝자락을 접어두었겠지

싱숭생숭한 마음에 와닿는 것들
타자기를 두드리듯,
글자 하나하나가 마음을 두드린다

책을 덮을 무렵,
네가 접어준 모든 글귀들이
사랑이 되어있었다.

바보들

사랑은 바보들이 한다

바위를 모래알로 부수어놓는
몇몇의 아픔들을 겪고서도
또다시 사랑을 갈구하는
바보들이 있다

그렇게 무너지고
일어서길 반복하다,
결국은 제 짝을 찾는 바보들
그 바보들이야말로
사랑할 자격이 있다

바보처럼 사랑해라
그대,
사랑할 것이면.

모래성

멀리서 밀려온 파도가
진심을 다해서 들이치면,
별수 있나 뭐
그냥 무너져 내려야지

나는 모래성
부서지더라도 있는 힘껏,
너를 안는 수밖에 없다

너는 거리낌 없이 오거라
나의 마지막 포옹이자,
내 일생일대의 끝사랑아.

부서지더라도
있는 힘껏,
너를 안는 수 밖에 없다.

이름 없는 꽃

이 맘속에는
부끄럽게 피었다 지는
이름 없는 꽃들로 가득하다

그 무명의 꽃들이 삭아 이룬,
서글픈 흙더미 위로
또 새싹 하나가
고개를 빼꼼 내민다

봉오리 한번 피워보지 못하고
하얗게 말라죽은 싹 옆에서
볕 들지 않는 이 삭막한 맘에서도
그리 안간힘을 써가며
기어이 또 싹을 틔운다

엊그제 말라죽은
저 아이의 몫마저
사랑할 것처럼.

화분

시들 것을 알면서도
물을 주고
잎사귀를 닦아주는 것

싹 틔우는 순간부터
마지막 꽃잎 한 장,
떨어지는 순간까지 지켜보는 것

거기까지가 애정이다.

꾀꼬리

제 짝 부리에 그리 쪼이고도
또 새 사랑 노래를 한다

돌아오는 봄마다
그리 사랑 타령을 해대느냐

꾀꼬리냐 너.

벚꽃

무엇이 그리도 바쁘길래,
이토록 바삐 지는지

어째 곱고 사랑스러운 것들은
품에서 벗어나기 바쁘다

너 거기,
조금만 더 머물다 가거라.

너 거기,
조금만 더 머물다 가거라.

경음악

경음악을 들어본다
감정의 무대 위에서
춤을 추는 선율들

피아노 건반 위를
사뿐히 지르밟아
설레게 한다

바이올린의 현을
품에 안고 쓸어내려
슬프게도 하고

첼로의 나지막한 중저음은
마치 그립던 이의
목소리 같기도 하다

혹시 그대도 저 선율들과 함께
무대에 오른 것은 아닌지
이 맘 흐트러 놓는 이,
그대 말고 또 누가 있으려고.

숨

우리가 숨을 쉴 적에
들이쉬고 내뱉는
짧은 숨결 가운데,
호흡의 결을 가다듬는
멈춤 속에도 의미가 있다

들이쉼도 호흡이고
내쉼도 호흡이다
그렇다면 멈춤 역시 호흡인가

이것은 다른 두 것을 위한 기다림
둘을 이어주는 연결점
그 역시 호흡이다

그러니까,
끊임없이 주고받다가
잠시 멈춘 이 사랑 역시도
사랑임이 틀림없음을.

너는 봄

겨울꽃이 피었대서
겨울이 봄이 되더냐?

꽃 피지 않아도
봄은 봄이란다

네 꽃이 아직 피지 않음에
눈물 글썽이지 말아라,
어린 봄 같은 사람아

한때의 꽃샘바람에
새싹들 오돌거리며 떨어도
너 봄으로 있다 보면
그 꽃, 언젠가는 핀단다

봄은 따듯한 미소로
꽃을 기다리는 것이다
사랑스럽게 필 봄꽃을.

외로운 당신에게

너 외로운 줄은 안다

그래도 너 누구를
다시 사랑하려거든
그 외로움 한 점,
마저 사라지는 날에
새 사랑을 해라

지난 재 위에
새 장작을 올리지 말아라

옛 불씨 다 꺼지고
새카맣게 탄 장작들
비바람이 씻어내
네 불자리 말끔해지거든,
그때 다시 사랑하면 된다
그래야 온전한 새 사랑이 된단다
사랑아.

2부
너도 가끔은 그러느냐, 옛사랑아

한번 퍼내어 쓴,
가슴속의 우물은
다시 물이 차길 기다려야 한다.

아직도 겨울

꽃피는 계절이 왔어도
내 발걸음은
자박이며 걷던,
하얀 계절에 멈춰있다
봄을 향해,
발 내딛지 못하고
보이지 않는 입김만
이 봄날에 내뱉는다.

내 발걸음은
자박이며 걷던,
하얀 계절에 멈춰있다.

불씨

화톳불의 무덤을 뒤적이는데
불씨 하나가 껌뻑거린다

다시 살아날까 싶어,
입바람 몇 번 불어주었더니
불씨는 부르르 떨 듯 제 몸을 붉힌다

허나 그것도 잠시
애석하게도 불씨는 푸석한 재가 되어,
붉은 숨을 거둔다

사진첩을 정리하다가
우연히 불어온 네 입바람에
오늘 내 마음이
잠깐이나마 그 불씨 같았다.

마침표

너 생각하는 일을 관둬야겠다 싶어,
저 혼자 마침표를 찍었었다

.

허나 매번 부질없는 미련을 남긴 탓에
몇 번이나 다시 마침표를 찍기 위해
펜을 들어야 했다

마침표의 잉크가 가슴 속에서
마르고 굳길 몇 번
그러기를 며칠
혹은 몇 해가 지났을까
…
……

수십 수백 개의 마침표가
미처 다 전하지 못한 말들처럼 쌓여
줄임표가 되어있더구나

여전히 사랑한다,

토하지 못한 이 속내를
대변이라도 하듯

그 늘어진 줄임표에
다시 마침표를 찍는다.

.

수십 수백 개의 마침표가
마치 다 전하지 못한 말들처럼 쌓여
줄임표가 되어있었구나.

입김

'나 어때요?' 하고
너 물어보았을 때,

'너 이쁘다.' 하고
대답해줄 걸 그랬다

들어줄 상대가
부재중인 이 새벽

짧은 탄식 같은 후회가
창문 유리에
입김 되어 달라붙는다.

이별 후에

이 헤어짐은 잠깐일 줄 알았다
잠 못 드는 하루가 지나고
조바심 나던 일주일도 지나고

계절이 바뀌어,
마른 잎사귀들이
길거리에 날릴 적에는
이별이 일상 속에
먹먹하게 스며들더라

그렇게 삼 년
그렇게 삼 년이다

너 없는 일상에
무심히 살다가도
덜컥 너 잊을까,
겁이 난다
참으로 따끔한 세월을 산다.

꽃잎점

그대는 그리우실까
꽃잎 한 장 뜯고

아니면 슬프시려나
꽃잎 두 장 뜯고

혹은 두려우실까
꽃잎 세 장 뜯고

어쩌면 후련하실지도
꽃잎 네 장 뜯고

필시,
저 혼자 그리운 것이리
남은 꽃잎 한 장 무심히 뜯어,
흙 덮어 상념을 묻는다.

우물

어떤 날에는
당신이 그리웠다가도
어떤 날에는
당신이 원망스럽기도 했다

감정이 오고 가는 몇 해 동안
오갈 곳 없는 감정들은
한데 고인 우물이 되어,
바닥 모르도록 깊어지기만 했다

아, 겨울 달이 뜬 술을
몇 잔 마신 탓이었을까
내 우물에는 달 대신,
당신 얼굴이 떴다.

애증

마음에게 묻길,
왜 미워했느냐 물었다

마음이 답하길,
사랑할 수 없으니
미워하는 수밖에 없었다고

단지 그것 말고는
상실감에 멍울진,
이 불쌍한 것이
머물 곳이 없었단다

그래서 미워했었단다
그립게도 미웠더란다.

마른 꽃: Dry flower

네가 주는
시선과 맘으로 핀 꽃이었건만,
정작 너에게 나는
말라죽길 바라는 꽃이었구나.

네가 주는
시선과 맘으로 핀 꽃이었건만,
정작 너에게 나는
말라죽길 바라는 꽃이었구나.

마른 꽃 둘

저기 꽃이 진다

지난 봄날,
그리 화사히 피었어도
피고 지는 제 숙명에는
더 첨할 말이 없다

마른 꽃에도 향기가 났던가

저기,
저 사람 마음도 진다.

환상

눈앞에 보이지는 않고
목소리는 닿기나 하는지

그 흔한 사진 한 장,
흔적 묻은 곳조차 없으니까

옅은 기억만
머릿속을 맴돌기에
지난날에 의문을 갖는다

너, 있긴 있었니.

철새

수확 끝난 늦가을

볏줄기 베어진,
휑한 논들 위로
물떼새 한 무리가
비잉하고 돌더니
저 멀리 날아간다

아마 서늘해진 날씨에
따뜻한 남쪽 찾아,
떠나는 것이겠지

저 철새 무리도
떠나야 할 때를 알고
떠나가는데
나는 아직 떠나지 못한
새 한 마리,
여기 아릿하게 품고 있다

혹시 겨울나고

이듬해 봄에 떠날,

마도요였던가.

나는 아직 떠나지 못한
새 한 마리,
여기 아릿하게 울고 있다.

대답

꽃을 좋아하느냐
네가 물었었다

지금에서야 하는
때늦은 대답이지만,
사실 싫진 않다

좋아하는 것도 아니다만,
너 좋아하는 것을
내가 싫어할 수도 없지 않느냐

네가 꽃을 좋아한다던 그날
그날부터 나는
꽃이 싫지는 않다.

연락처

가신다고 하더라
여기서 우리 인연,
싹둑 끊자고 하시더라

구태여 붙잡지는 않았다
유리구슬 같은 눈물,
방울방울 지으면서도
애써 가신다기에
잡으면 안 될 것 같아서

다만 그 눈물 한줄기,
연락처 써주듯
내 맘에 적어주고 가시라 했다

연락은 하지 못해도
그 연락처 띄워놓고
가끔 머뭇거려 볼 수는 있게

어차피,
한동안은 그럴 것 같아서.

술잔

빗소리가 귀를 괴롭히는 밤

달큰한 취기 탓에
술잔 위로 띄운 실수들이 많다

다시 잊자니,
유난히도 이 밤이
어둑하니 짙고
하릴없이 길다

이 한잔 술에
너를 얼마나 눌러 담았던지,
미처 다 비우지 못한 것들이
잔 아랫목에 고였다

빗발에 젖은 밤공기만큼이나
내려놓는 술잔이 무겁다.

이름

자주 부르지 않던 이름이 있다
너무 예쁜 이름이어서
소리 내어 불렀을 때,
입이 부끄러워지던 이름

지금도 입에 담지 못하고
깨끗한 백지에
정성 들여 글씨로 써본다

눈으로 보아도 예쁜 그 이름
마음속으로 소리 내어 읽어본다.

눈으로 보아도 예쁜 그 이름
마음속으로 소리 내어 읽어본다.

전망대

저 많은 불빛들 사이로
너를 비추는 불빛도
하나 있겠다 생각하니,
요란스러운 도시 불빛도
마냥 싫지만은 않더구나

가끔은 너 있는 곳에
불빛 깜박여,

'나 잘 지낸다.'

안부라도 전해다오.

함정

미움 역시도 사랑이었더라
저 있던 곳 빼앗긴 마음이
울면서 이곳저곳을 헤매다
으레 빠지는
쓸쓸한 함정이었더라.

착각

지난날,
내가 너를 생각하지 않는 날에는
네가 나를 생각했음이 틀림없다

네가 나를 생각지 않을 지금,
나는 네 생각으로 가득하니 말이다.

열병

한여름 무더위에 앓는
몸살 같았던,
독한 열병이 지나간다

투병 말미에
깨달은 것이 있다면
나의 사랑이
반드시 너의 사랑이 되진,
않는다는 것

여름 더위와 함께
사랑도 물러간다
울적한 감정이
옷깃에 스며드는 이 가을

지난 여름을
그리워할 일만 남았다.

기다림

사랑이었다면
돌아올 때가 되면 돌아온다

오랜 기다림에도 불구하고
돌아오지 않는다면
사랑이 아니었을 뿐이다

돌아오지 않는 이에게도
기다리지 못한 이에게도

너무 애달아 하지마라

아직 당신이
사랑해주어야 할 것들이
너무도 많다.

사랑 아닌 것

이런 것도 사랑이라고 하면
세상에 사랑이라
불러야 할 것들이 너무 많다

사랑이 이리 아플 리가 없다
너는 사랑이 아닌 것으로 하자

너만은 부디,
사랑이 아닌 것으로 하자.

사랑이 이리 아플 리가 없다
너는 사랑이 아닌 것으로 하자.

돌아오지 않는 썰물

밀물처럼 그대 밀려왔었다
모래 밟던 발을 뒤로 물릴 새도 없이
한껏 밀려와 나를 적셨더랬다

썰물처럼 그대 떠나갔었다
되말려드는 파도를 주워 담으려
손을 내저어도 흰 거품만 남겨놓고 갔더랬다

그대는 보오
저 파도는 저렇게 오고 가고
먼 길 떠났다가도 돌아오는데
그대는 어찌,
돌아오지 않는 썰물로 남았는가.

벽

침대에 누워,
옆자리를 손으로 쓸어본다

팔 한 폭 정도가 남는다

까맣게 물든 벽에
시선을 가져다 댄다

그 벽에 등을 기대고서
지그시 나를 바라보던,
그대 눈동자가 생각난다

어쩔 수 없이,
오늘도 등 돌려 잠을 청해본다.

여전한 것

얼굴은 희미해지고
기억은 그 색을 잃었어도,
마음 아린 것만은 여전하다.

얼굴은 희미해지고
기억은 그 색을 잃었어도
마음 아린 것만은 여전하라.

태풍

태풍 경보가 울린다
메마른 감정들이
서로 뒤얽혀,
태풍이 되어 몰아치는 중이다

거칠게 돌아,
맹렬히 부딪혀오는
격한 감정들
쐐기 박듯,
가슴팍을 찔러 파고든다

시절 지난 그리움이
울컥거리며,
마음에 상륙한다.

꽃밭에서

꽃밭의 꽃들은
소복하니 남았는데,
제일 예뻤던 그 꽃은
어딜 갔는지

봄날과 작별하고 나니,
사진첩에는
어설픈 꽃대들만
덩그러니 남았네.

편지

수신인은 있는데
수신처는 없는 편지를 써본다

그간 전하지 못한 소식들
그때 하지 못하였던 말
혹여 읽지 못하는 구절 없도록
펜 끝에 맘을 떼어 쓴다

수신인의 얼굴빛을 닮은
하얀 편지 봉투
다 쓴 편지,
고이 접어 넣어 풀 발라 붙이고

편지를 부칠 곳도,
편지 전해줄 우편원도 없으니
우편함에 밀어 넣듯,
책갈피 사이에 끼워 넣었다

우표 대신,
마음만 붙여 보내본다.

미련

미련 없이 살아보려,
앞만 보고 걸어도
발밑에 채이는 것이 있고
뒤돌아보게 만드는 소리 있네

무엇인지 알면서도,
내려다보고 돌아도 보는
어리숙한 나도 있고

너도 가끔은 그러느냐,
옛사랑아.

소원

오늘 너를 안았던 마음으로
내일도 너를 사랑하고 싶다

하루의 끝에
그런 수수한 것을
소원하던 때도 있었더랬다

끝끝내 놓친,
내일의 소원들은
아마 저 하늘 어드메쯤을
유영하고 있을 테지.

오늘 너를 안았던 마음으로
내일로 너를 사랑하고 싶다.

촛불

창틀 사이로
불어오는 틈바람에
촛불이 여린 몸을 떤다

빨갛게 상기된 볼에
서글픈 촛농은 흐르고

촛불의 눈물이
촛대 아래에 가득 고일 적에

눈물이 온기를 잃고
굳어갈 때에

우리 눈에는
지난날 그토록 뜨거웠던,
촛불의 잔상이 남았으며

우리 가슴에는
타고 남은 까만 심지를
흔적으로 두었다

인연이 양초가 되어,
녹아내린다.

우리 가슴에는
라고 없은 까만 심지를
흔적으로 두었다.

다짐

물건이든,
사람이든,
너무 정성을 쏟진 말아야지

물건은 부서지고
사람은 떠나기 마련이니까

그래서 이 다짐,
당신은 몇 번째요

그럼 그렇지

나도,
그대도,
참으로 미련한 정을
품고 사는구나.

아름다운 이별

아름다운 이별 같은 건 없다고
일러주지 않았더냐

결국은 시린 것들만
가슴에 잔뜩 새기고서
내쉬는 숨,
죄다 한숨이 되고서도
왜 놓질 못하느냐

달콤한 것이 남긴 찌꺼기에
맘 더 내주지 마라

애야,
너 괜히 더 힘들다
이제 그 맘 놓아주어라.

계단

짝사랑이었던 것이
잠시 사랑이 되었다가

계단 하나를 헛디뎌,
다시 짝사랑이 되었을 뿐이다

그 계단 하나를
맘 한 곳에
줄곧 남겨두게 되겠지만.

사랑의 끝

사랑의 끝은 어디라던가요
그 끝이 이별이었으면 좋겠건만,
불행하게도 나는
아직 사랑하는 중입니다.

사랑의 끝은 어디라던가요
그 끝이 이별이었으면 좋겠건만,
불행하게도 나는
아직 사랑하는 중입니다.

이 가을에

이 가을에 나 너를 기다린다
너 잊은 무심한 계절들의 정류장을 지나
그리움의 정류장에 마음이 선다

가을바람에 떠밀려온 마음들이
낙엽 되어 뒹구는 그리움의 정류장

그토록 서글프던 이 가을바람도
몇 해를 거듭 만났더니,
눈물도 마를 것은 다 말랐고
마음속 애달픔도 예전 같지 않다

나는 바라는 것보다
바라지 않는 것들이 더 많은 사람이다

그냥 우두커니 서서 밤별 쳐다보듯,
아주 멀리 있는 것들을 그리워하는 사람이다

짧고 덧없는 것들 사이에서
조금 더 길고 덧없는 사랑을 하는 것일 뿐

딱히 대단한 일도 아닌,
평범한 연정을 품고 산다

그런 연유로 올해도 너를 기다려본다
이 가을에.

숭늉 같은 커피

커피 한 잔을 타다,
실수로 물을 조금 많이 부었다

숭늉 같은 커피

유독 커피를 못 타던,
네 생각이 문득 난다

숭늉 같은 커피를 타 주고서는
미안해하던 그 웃음

너에 대한 마음도
그때의 기억들도 이제는
그때 그 커피처럼 옅어졌지만,
그 웃음만큼은
선명하게 기억이 난다

아직도 웃음 짓게 만드네
그 웃음

눈물 고인 웃음을 짓게 하네

아직.

3부
잠시 쉬어가도 괜찮을는지요

화톳불의 무덤에서
지난 사랑의 불씨를 찾는다.

선

너는 말이다

너와 나 사이에
까만 선 하나를
쭈욱 그어놓았다

미리 선 그어놓은
인간관계에
무얼 기대하랴

너는 너대로,
나는 나대로,
무심히 지나치는 일 밖에
더 있겠느냐

그러니 잘 가라
잘 가거라.

스투키

여름비가 세차게 내릴 적에는
습한 날씨에 네 잎이 물러질까
겁이 났었지

그러다 볕이 참으로 센 날에는
뜨거운 햇살에 너 말라죽을까
겁이 났었단다

애정을 너무 쏟아도
죽는다고 하니,
어째 조금 겁이 난다

적당히 맘 주는 법을 모르는 나라서,
내 맘에 네가 지쳐 죽을까
겁이 난다

그냥 너 알아서
내 맘 가려 받는 건 안 될는지

작은 스투키에게
걱정 어린 허락을 구해본다.

가을비

가을비
끝나가는 계절을 위해
눈물을 짓는 일이다

까치 두 마리,
위로 건네듯 울어주는
소멸의 아침

빨갛고 외로운 잎사귀를
붙잡고 있던 가로수에도
어김없이 소멸이 찾아온다

빗방울은 토독토독
낙엽을 두드리고

위태로이 매달린 저 낙엽,
마저 떨어지면
틀림없이 겨울이 찾아올 테지

또 겨울

가슴 속에 빨간 낙엽 한 장,
붙잡고 있어야 하겠다
겨울이 힘들지 않도록.

외롭게 매달린 저 낙엽,
마저 떨어지면
틀림없이 겨울이 찾아올 테지.

이사

창문 가득
볕 새어드는 주말

정든 것들을 뒤로하고
나 짐을 꾸리오

지난날 사랑했던 것들
시선 닿아있음이
익숙했던 것들

두고 갈 것들은 두고
가져갈 것들은 꾸려,
나 이곳을 떠나오

더 머물 수 없으니,
이 마음만
여기 두고 가오.

갈대

갈대처럼 산다
가을바람에 몸 내맡긴 갈대처럼,
바람에 나부끼는 맘으로 산다

가끔은 모질기도 한 가을바람에
뻣뻣이 버텨 서다 꺾이고 마는
고집 센 갈대이고 싶지는 않다

생은 바람처럼 불고,
그 결 따라 흔들리며 사는
내가 있다.

생은 바람처럼 불고,
그 결 따라 흔들리며 사는
내가 있다.

쉼

이 마음
닳고 깨진 곳이 많아,
시간이란 접착제로 붙여두었기에
이음매가 마르기를
잠시 기다리고자 합니다
그러니 이 마음
잠시 쉬어가도 괜찮을는지요.

그러니 이 마음
잠시 쉬어가도 괜찮을는지요.

눈물 색

눈물에도
색이 있다면 말이다
내 눈물은
갈색이지 않겠느냐

그 봄,
발갛게 타던 수줍은 마음이

그 겨울,
새까맣게 타버린 처연한 마음을
만났을 테니

그 눈물 색은 아마,
갈색 눈물이 되었을 게다.

망각

알면서도 놓치는 것들
슬프지 않은 것이 아니다

익숙해진 상실감에
망각이 무감각을 흉내 내는 중이다

무심한 것들에 젖어 살다,
뜬금없는 깨달음에
심장이 따끔거린다.

몽당연필

작달막해진 몽당연필
심 끝을 다듬어
글귀를 새기던 때도 있었지만,
이제는 절 찾아주는 손이 없다

속상한 몽당연필이
울음 섞인 목소리를 낸다
이렇게 버려둘 것이면
다시 돌려달라고
깎여나간 제 것들을 돌려달라고

뭉툭해진 깜장 심에
까만 눈물이 그렁하다

아, 나는 몽당연필의 슬픔으로
지난날의 글을 썼었구나

연필 대신 쥔 만년필
펜촉 끝에 미안함이 고인다.

들꽃

꽃 하나를 꺾어다 주오
하고 부탁을 받는다면,
나는 들꽃을 찾으러 가겠소

애지중지 기른 화단의 꽃도
예쁘고 사랑스럽겠지만
들판에 소복하게 핀,
그 소박함을 좋아한다오

하기야
무슨 꽃인들 안 예쁘겠냐만,
무작정 걷고
바짓단을 흙투성이로 만들다,
우연히 찾은 들꽃
그게 또 낭만 아니겠소

그 낭만도 같이
선물하는 거라 칩시다.

가을이 물들 적에

가로수 나뭇잎에는
빨갛고 노란 쓸쓸함이 물들고

강변 수양버들에는
갈색 외로움이 물들었을 테고

나는 콧등이 시큰해지는 것이,
코에 가을이 물들었나 보오

그대는
어디에 가을이 물들었는지

대답 없을 줄 알면서도
슬쩍 기별만 물어보오.

미리 고하는 이별

가슴에 걸쇠 몇 개 걸고
사는 이유를 누가 묻거들랑,
결국은 저 슬프게 할 것들에
미리 이별을 고하는 중이라
전해주면 좋겠소.

미리 이별을 고하는 중이라
전해주면 좋겠소.

까만 어둠

까만 어둠이고 싶다

방 모퉁이에
자늑히 물러선 저 어둠과
나와의 옅은 경계선을
뭉그러뜨리어,
나도 새까만 어둠이고 싶다

가끔 그런 어둠이고
싶은 날이 있다

마음 한구석에
어두운 글귀 한 구절이
피는 날이 있다.

늦여름비

여름의 마지막 비
잔에 가득 들어찬 소주처럼
넘칠 듯 말 듯

웃을 듯,
어쩌면 울지도 모를
아슬한 감정선의
늦여름비가 내린다

회색빛 아스팔트를
까맣게 물들여 가는 빗줄기에
어느새 눈시울도 비에 젖어가는데
일순 후드득하고
이 술잔에도
작은 빗방울 몇 알이
떨어지오.

장작불

불씨 붙어
불길 달아오르니,
첫 만남의 열기 같다

장작 몇 개 던져 넣으니,
불씨가 요동치듯 튀어
고백하던 날의 심장 소리 같다

불길 멎어,
하얀 재 풀풀 날리고
매캐한 연기 눈 앞을 가리니,
끝나버린 상실의 날 같다

불씨는 죽었는지,
살았는지
장작 넣고 입김 불면,
다시 피어오르긴 하는지
추억 속의 그 연정은
아직 무사한가.

허상

사는 게 지칠 때,
술로 인생을 달래본다

취기가 돌아도
살아있음이 곤욕스러울 때는
네가 머문 기억으로
도망쳐본다

또 허상에 허우적거린다
이 현실,
너는 없다

술잔에 눈물을 왈칵 쏟는다.

이름표

사랑은 여행이랬다
사랑은 사랑으로 떠나,
사랑으로 돌아온다

미처 돌아오지 않은 사랑들은
이름표를 달아,
추억이란 벽에 걸어두었다

아마 어딘가에 정착해,
잘들 살고 있겠지
그거면 되었다.

사랑은 사랑으로 떠나,
사랑으로 돌아온다.

무쇠

쇠는 두드릴수록
단단해진다는데,
사람은 두드릴수록
마냥 아프기만 하다
매정한 모루질에
눈물이 찔끔 난다.

가을바람

바람 한 줄기,
볼을 훑고 간다

짐 싸서 떠난 여름을
벌써 잊기라도 한 듯,
바람결 사이에
후련함이 느껴지는 것만 같다

남겨진 이들에게도
이 후련함이 남았으면
좋았을 것을

애석하게도,
정말 애석하게도

바람 잘 날 없는 마음이고
눈물 마를 일 없는 일상이다.

등대

드문드문 낚시꾼만 찾는 외진 곳에
홀로 선 등대 하나

밤이 까맣게 들어선 하늘
별만이 총총히 빛나는 새벽에

이리저리 불빛 돌리며
무엇을 그리도 찾나

어둑한 바다로 떠난,
동네 어선이 걱정되더냐

아니면,
저 멀리 다른 등대가
말이라도 걸어오더냐

정작 너는 말 한마디 없는데,
외로이 홀로 선 네 모습에
바보같이 내 눈시울이 붉어진다

못난 어른이

등대 그림자에 숨어서

눈물을 훔친다.

정작 너는 말 한마디 없는데,
외로이 홀로 선 네 모습에
바늘같이 내 눈시울이 붉어진다.

자기 고백

사랑한다 말하던 일은
언젠가의 이별을 준비하겠다는
말처럼 들렸었다

달력 몇 장 넘기어,
그 언젠가와 마주했을 적
안녕을 말하던 일은
앞으로도 사랑하겠다는
고백으로 들리었다

이 절절한 자기 고백에
어찌나 눈물이 나던지
유난히도 시렸던 겨울이었다.

차단기

달칵달칵
잘도 떨어진다

칼 같은 셈이다
감당 못할 아픔에는
버티지 않는 셈법

차단기 스위치에는
머뭇거림이 없다

거, 사람 가슴에도
하나 달아두었으면 좋았겠다

너무 힘들면
달칵하고 잠시 꺼두게

좀 살만해지면
달칵하고 다시 올리게

그럼 사는 일이
조금 덜 무서웠을지도.

그리움의 향기

뭉글하게 피어오르는
이 막연한 그리움에는
주인이 없다

애틋하던 나의 연정은
그리움의 품마저 떠난 지
오래되었다

코끝에 희미하게 남은
향수의 잔향이요

기억해내지도 못할
옛 기억들의 편린들이니

그럼에도 향기만은
아직도 옅게 남아,
돌아오는 가을마다
바람에 실려 온다

화선지에 번져가는 먹물처럼

폐부의 끝자락부터

까맣게 물들어가는 그리움

그럴 때면,

나는 잠시 인생의 한때를

멈춰 서곤 한다.

그럴 때면,
나는 잠시 인생의 한때를
멈춰 서곤 한다.

화물차

새벽공기 스산하게 내려앉은
신호등 불빛만이 또렷한 새벽

화물차 한 대,
외로운 엔진음을 내며
점멸하는 신호등의 숨결 사이를 지난다

신호 하나 건널 때마다
새벽은 점차 푸르스레 밝아오고
가로등에는 지난밤의 잔열이 조금

백미러에 비친 여럿의 새벽들
가족들 잠든 시간,
미처 전하지 못한 사랑을
보조석에 앉혀놓고 새벽을 달린다

피곤한 눈을 비비고
까끌하게 자란 턱수염을 매만지며
운전대를 고쳐 쥐어본다
잠든 아이 볼 한번 만져보듯.

술 마시는 이유

왜 술을 마시냐면요
조금 느슨한 세상이 좋아서요

적어도 취해있는 동안에는
아쉬울 게 없는 법이니까요

어차피 술꾼한테는 취한 세상이
본래 저 살던 세상이므로
취해야 내가 또 하루를 삽니다

그쪽도 거기 서 있지 말고
이리 와서 한잔 받아요

오늘도 고생했어요
날도 추운데.

물수제비

맨들한 겉면에 잘 빠진 모양새
예쁜 돌맹이 하나 주워,
물수제비 한번 던져본다

소소한 기대를 품은 돌맹이
한데 두어 번 참방거리다
물속으로 맥없이 고꾸라진다
썩 괜찮게 뜰 줄 알았건만

돌 쥐었던 손에 남은 모래알들
아쉬운 맘 한숨으로 내돌리고
기대의 잔여물들을 털어낸다

하긴 뭐,
사람 사는 일도 저거랑 얼마나 다르려고
순탄치 못한 때가 인생 태반인데

그때의 선택들 역시,
그 순간의 필연적 선택이었을 테지
물수제비 돌 줍는 일처럼

던진 돌은 돌아오지 않는다
그렇다고 울상 지을 일도 없다
또 괜찮은 놈 하나 주워다,
다시 던지면 되지

괜찮다
울지마라.

그대의 선택들 역시,
그 순간의 최선의 선택이었을 테지
몬수제비 를 좋은 일처럼.

허수아비

골짜기 틈새로 새 우는 소리
도랑에 물 흐르는 소리
산골짜기 낡은 집터 옆,
허수아비 홀로 새 좇는

찾아오는 산새도 없는데
너는 거기서 무얼 하느냐
들풀만 무성한 옛 밭에서
슬픈 소명을 다하고 있는 것이더냐

눈이 없으니,
너 눈물짓지도 못하고
입이 없으니,
너 울음소리도 못 내는구나

아, 그래
그럼 내가 대신 울어줘야겠구나
너 안쓰러워서
내가 대신 울어주어야겠다

골 깊은 곳 마디마디,

허수아비 울음소리

골짜기 여럿이

산을 타고 내려가며 운다.

빗소리

그리워할 것이라도 남았더라면,
이 빗소리에
추억거리 한 두어 개쯤은
떠올려보았을 텐데

푸석해진 감성 탓에
사소한 애틋함조차
부끄러워지는 빗소리로
귀가 가득이다

후드득후드득
그리움 흩어지는 소리.

찔레나무

갈대 같은 사람 맘
그대 옷자락 끝 잡는 일
이리 힘이 든다

내가 봐도 나 아닌 것 흉내 내며
너처럼 흔들리며 사는 일,
이제 관두련다

갈대 옆 비집고 자란 저놈
여기 붙고 저기 붙어 떠도는
도깨비바늘로 사는 게 차라리 낫겠다

나는 나대로 살아야겠다
나 너 놓아줄 터이니,
너는 너 흔들리는 결 따라 흔들려주는
너 닮은 갈대 만나거라

나는 여기,
외롭고 외로운
한 그루 찔레나무로 살아보련다.

멈춰 선 곳에 네가 있었을 뿐

초판 1쇄 발행	2022년 5월 28일
초판 1쇄 인쇄	2022년 5월 28일

지은이	유재영

책임편집	송세아
편집	안소라
디자인	theambitious factory
마케팅	시절인연
제작	김소은
관리	김한다 전현주
인쇄	아레스트

펴낸곳	도서출판 꿈공장플러스
출판등록	제 406-2017-000160호
주소	서울시 성북구 보국문로 16가길 43-20 꿈공장 1층

이메일	ceo@dreambooks.kr
홈페이지	www.dreambooks.kr
인스타그램	@dreambooks.ceo

전화번호	02-6012-2734
팩스	031-624-4527

ISBN	979-11-92134-15-4
정가	12,000원